Tascabili Economici Newton

100 pagine 1000 lire

96

In copertina: Félix Labisse, *La terreur blanche*, 1945

Titolo originale: *Je voudrais pas crever*

Prima edizione: settembre 1993
Tascabili Economici Newton
Divisione della Newton Compton editori s.r.l.
© 1993 Newton Compton editori s.r.l.
Roma, Casella postale 6214

ISBN 88-7983-144-5

Stampato su carta Tambulky della cartiera di Anjala
distribuita dalla Fennocarta s.r.l., Milano
Copertina stampata su cartoncino Perigord Mat della Papyro S.p.A.

Boris Vian

Non vorrei crepare

A cura di G. A. Cibotto

Edizione integrale

Tascabili Economici Newton

Introduzione

Per misurare l'intensità della luce sprigionata durante la sua breve corsa, quasi un volo d'angelo secondo gli intimi, nel cielo dell'immediato dopoguerra, rischiarato da una sorta di corale voluttà di spensieratezza, bisogna liberare il meteorite Boris Vian dalle nebulose sempre equivoche dello snobismo. Avere cioè il coraggio di sottrarlo al pericolo della leggenda circolante nei dintorni di Saint Germain des Prés, dove la sua figura longilinea, il pallore del suo volto, la sua cordialità raggiunta mediante uno sforzo della volontà, ne avevano fatto un protagonista della stagione esistenzialista. Alla quale non si può negare avesse partecipato, ma in maniera assai più cauta e vigilante (non si dimentichi l'impietoso giudizio scoccato sulla consistenza morale di Sartre, assai prima che pesasse sulla finzione di un'amicizia, la solidarietà manifestata dal filosofo alla donna del poeta, Michèle, in occasione del divorzio) di quanto non induca a sospettare una facile aneddotica di sgolata dissipazione che, nel «Tabou» e nelle sue «vestali», nel «bar vert» diretto da Lucas, poi da Frédéric Chavelot, e successivamente nel famoso club animato dal trio Gréco-Cazalis-Doelnitz, ha avuto fino alla nascita del Vieux Colombier (sotto il teatro caro al rinnovamento dell'asceta Copeau) e de «La Roge Rouge», magica pedana di lancio per «Les Frères Jacques», i suoi «santuari» (per usare la definizione di uno straordinario cronista rispondente al nome di Ernest Hemingway, scambiato per narratore di grande respiro).

Non per niente Marcello Pagliero, che gli è stato amico e, nel famoso repertorio di Vian sui protagonisti che hanno reso celebre un quartiere parigino divenuto bruscamente nel 1947 un polo d'attrazione intellettuale, viene catalogato all'insegna della gentilezza e della distrazione (celebre la sua battuta sulla ressa di gente che si accalcava intorno alla macchina da presa, cui facevano corona nella strada resa impraticabile decine di riflettori: «Guarda un po', si gira ancora un film su questa zona», avendo scordato che era un film suo), amava rievocare di certe notti il suo festoso controllo, la sua distaccata allegria, la sua incalzante timidezza. «Era il demone trascinante che aiutava gli altri a ritrovare il sentiero perduto dell'abbandono dionisiaco, eppure fissandolo negli occhi accesi da lampi imprevedibili si scopriva che il suo destino era quello di restare escluso dal giardino d'inventata baldoria che sapeva scatenare», ha confessato il regista del film La notte porta consiglio ad un attore che continua ogni tanto a interpretare le liriche di Je voudrais pas crever con una dedizione che fa leva sullo slancio emotivo. «Soltanto quando si ficcava fra le labbra la tromba», ha precisato in altra occasione ad Ennio Flaiano, che ad un certo momento della sua avventura di sceneggiatore aveva sentito la tentazione di ricavare un soggetto dal romanzo intitolato L'arrache-coeur, «Vian diveniva d'una scatenata vivacità, resistendo alle sollecitazioni di chi si preoccupava d'invitarlo a ricordarsi del cuore, che dai giorni remoti di Ville d'Avray, paradiso durato lo spazio d'un mattino, ha sempre condizionato la sua giornata umana».

I vari spunti d'insofferenza contro i bambini sorvegliati, reperibili nei suoi scritti, e molto probabilmente il ritratto di Clémentine, madre tirannica per eccesso d'amore, nascono infatti da una precisa realtà, dall'insorgere del male che per reazione ha finito con il trasformarlo in una fonte inesauribile d'energia, per elevarlo a simbolo vitalistico e imprevedibile, mentre al contrario la sua natura e la sua struttura mentale pretendevano un ordine scrupoloso e metodico, un rispetto geloso del meccanismo logico.

Nell'avviare un discorso sulla sua opera tuttora equivocata, che dopo lungo disamore ha visto scoppiare all'improvviso un generale interesse, al punto di vederlo issato sul piedistallo degli eroi, come sognava Raymond Queneau, il quale auspicava che Boris Vian diventasse finalmente Boris Vian, l'accenno all'acuta indignazione di Pagliero, s'impone con ferma perentorietà. Specie dopo che la morte, togliendolo bruscamente di scena, ha insinuato negli stessi critici più diffidenti il senso preciso di un vuoto. È vero che a loro giustificazione non si può ignorare la difficoltà di trovarsi davanti un poliedro dalle troppe facce, poiché dalla matematica alla narrativa al teatro alla poesia alla musica alla cronaca al tradurre al cantare alla regia all'impresariato all'oratoria all'organizzazione, Vian si è proiettato lungo le direzioni più bizzarre, con un gusto della novità che sempre diventava una febbre. Insomma alle prese con un fenomeno del genere era fatale che gli stessi interpreti più volonterosi, fossero costantemente esposti al rischio di confondere nella sua dimensione operativa il superfluo con i motivi profondi, essenziali. Si aggiunga il gusto della beffa che l'induceva ad abusare della sua vena creativa, unica maniera per allontanare il fantasma inquietante che ogni tanto s'affacciava al cielo della sua fantasia, lanciandolo in avventure da mozzare il fiato.

Non è tanto la prolificità dimostrata nel '46, che l'ha visto sfornare, senza per questo motivo rinunciare una sera ai richiami della vita notturna, qualcosa come tre romanzi, una commedia, una miriade di articoli e alcuni pezzi di cronaca da manuale, ad autorizzare la ricerca di attenuanti per gli esperti rimasti impassibili, se non addirittura ostili, in presenza della sua nutrita bibliografia trascurata dagli editori. Quanto piuttosto la tragicomica invenzione d'uno scrittore di razza negra, Vernon Sullivan, autore di un testo audace e scabroso intitolato J'irai cracher sur vos tombes, che fra rari entusiasmi e unanimi indignazioni ha mosso le acque torbide dello scandalo. Al punto da mettere in moto sull'onda di una crociata morale capeggiata da un certo Daniel Parker, la macchina rugginosa della giustizia, che quattro anni dopo l'apparizione del libello ritenuto veicolo di arditezza pornografica, ha condannato l'autore in maschera di traduttore, e l'editore Jean d'Halluin a centomila franchi di ammenda.

Per Vian il caso Sullivan era già chiuso con la famosa lettera aperta, «Je suis un obsédé sexuel», inviata a «Combat» dopo la pronuncia della sentenza, in piena aderenza al suo piacere del gioco, del travestimento, dello scherzo, ma per i critici che non avevano esitato a formulare paragoni con la violenza di Miller, azzardando gratuite esegesi dell'intreccio narrativo, la rivelazione che lo scrittore americano pubblicamente denunciato di speculazione erotica si identificava con il turbolento epigono del credo esistenzialista, rappresentava la presa di coscienza del ridicolo caduto sulle loro fatiche. Una sensazione decisamente sgradevole, accentuata dalla franchezza risoluta con cui Vian, rasentando il sarcasmo, si divertì a sottolineare la banalità di certe approssimazioni critiche impastate di pigrizia ed insensibilità. La ritorsione fu immediata, salvo l'isolata eccezione di André Billy, che riconobbe la necessità di una lunga analisi per spiegare i retroscena dell'infortunio nel quale era caduto insieme a numerosi suoi colleghi, per cui gli altri lavori usciti a firma di Sullivan vennero accolti dal più glaciale silenzio, rotto da brevi espressioni di disprezzo. Il guaio peggiore tuttavia fu che l'episodio per vari aspetti sorprendente (possibile che nessuno s'accorgesse, nel gran vortice pubblicitario, del modo semplicistico e rivolto all'effetto con il *quale era stato confezionato il romanzo?*), se in un lampo ridusse alle sue giuste e doverose proporzioni il narratore di pelle scura che aveva indotto taluno a rievocare la lezione di Faulkner, mise per sempre in urto la figura del vero autore con la razza degli apprendisti stregoni. Vale a dire i rappresentanti della critica militante, che da allora per Boris Vian e le sue pagine manifestarono un'attenzione distratta, molto vicina al rigore punitivo. Sia nei confronti delle opere cosidette minori, in cui s'avvertivano gli echi malamente dissimulati dello storico d'una parentesi giovanile e scapigliata, a tratti, in verità, perfino disperata, durante la quale Vian era stato una delle forze attive restando abilmente in ombra, così da sfruttare, per dirla con la definizione di un acuto umorista, «il privilegio di non essere preso sul serio», sia nei riguardi delle maggiori, da L'ecume des jours a L'automne à Pekin a L'herbe rouge, *probabilmente il suo risultato più alto e felice, soccorso da un'autentica vena poetica che traspare nitidamente nel precipitare della fine*, a L'arrache-coeur, *divenuto attualmente quasi manifesto di un'inquietudine capace di salvare la delicatezza nel gorgo della disperazione.*

Ad una semplice occhiata la bibliografia critica, in quotidiano, vertiginoso aumento, ci si rivela caratterizzata da una costante devozione, vagamente ritualistica, alle componenti esterne, che meno hanno influito sullo sviluppo della sua natura di «pesce profondo», sempre sospeso ad esplorare gli stessi fondali, mentre, stando al gioco dei movimenti superficiali, Vian pare si lasciasse attrarre da altre lezioni, prima di tutte quella, trascurata dagli esperti, di Jarry, cui si potrebbe aggiungere con un minimo di rischio l'altra più filtrata del marchese de Sade. In ogni caso essa ci restituisce un nitido e malinconico diagramma dello scetticismo che ha sempre accompagnato il suo lavoro, o per lo meno del disamore venato di superiorità nei confronti di quello che veniva giudicato un dilettante in affannosa ricerca di sensazioni inedite, che furbescamente strizzava l'occhio ad una mulinante platea, arresa al culto del divertimento. Al contrario, le sue opere scaturivano da una sofferta meditazione sulla crisi di una società e di un costume lacerati nell'intimo dalla corruzione e dall'ipocrisia.

A voler essere obiettivi il coro unanime di elogi che ha reso ultimamente la sua produzione il fiore all'occhiello di una letteratura diminuita dall'ossequio reso al mestiere, vale a dire alla retorica, a scapito della fantasia, è l'indice palese di un rimorso che continua a tormentare gli addetti ai lavori dal '45 al '59, pigramente legati alla formula, recepita senza una scrupolosa verifica, dell'animale notturno innamorato del gesto clamoroso, vittima d'una interna dissipazione, che non perdeva mai l'occasione per trasformare in palcoscenico il breve spazio entro cui si trovava ad agire, dall'alto d'un istinto della simulazione che arrivava a traguardi paradossali. Insomma l'aver confuso la maschera con il volto autentico di Boris Vian, e il non aver capito nel decifrare il complicato geroglifico delle sue carte, indubbiamente consacrate alla necessità di ritrovare un senso nuovo, schietto, al valore della parola tradita, che la sua mancanza di rispetto alla tradizione umanistica gli permetteva dei recuperi culturali per vie impreviste, più fruttifere, ha implicato una sorta d'abbaglio collettivo che pesa tuttora sulla sua fluviale ed estrosa produzione.

Non per niente se da un lato si assiste al progressivo recupero dei suoi scritti, nessuno ancora ha scandagliato con la dovuta finezza l'essenza di quella che Billetdoux, con indovinata sottigliezza, amava definire «passione fredda». Che secondo una facile aneddotica protrattasi fino all'ultimo, equivocando la sua stessa nomina a satrapo del Collegio di Patafisica, concedeva troppo credito all'uomo assetato di vita, ignorando l'ancoraggio delle sue scelte al retroterra di una formazione dedita al culto del rigore scientifico. Come insegna più del suo comportamento negli anni scolastici e del suo diploma d'ingegnere, la presenza costante nelle sue pagine d'un rigore e di una volontà d'esattezza perfino eccessivi, che denotano il rispetto d'una frequenza assidua, partecipata, con i classici del pensiero matematico. In fondo non è senza ragione che nei saggi sfornati a dosate intermittenze su di lui e sul significato della sua parabola creativa, si continui ad insistere sull'elemento logico, magari trascurando che senza un'adeguata spiegazione dello stravolgimento dei moduli cari all'etica del buon senso operato da Vian, diventa praticamente un azzardo inoltrarsi lungo il sentiero che mena alla foresta dei suoi nuovi simboli. Una conferma in tal senso si è avuta dall'analisi di quasi tutti i suoi scritti, con particolare riguardo all'iniziale Trouble dans les andains, e alla produzione lirica, che sebbene ritenuta marginale nell'economia della sua giornata umana, contiene tutti gli elementi chiave di un discorso unitario e coerente nella sperimentazione. Risponde a verità quanto hanno affermato diversi critici, che in Vian perfino la stessa esistenza quotidiana è investita dal vento della poesia, per cui tentare delle distinzioni significa cadere nell'arbitrio. Infatti proprio nelle sue poesie, anzi nelle sue canzoni, ricorrono con più tenace insistenza la vena di humor, il rigore logico contro la presunta razionalità che rende oscura la verità delle cose, ammantandole di assurdo *(in alcuni passaggi viene di prepotenza alla mente la risata sarcastica di Apollinaire), e la fertile immaginazione alla base dei suoi movimenti più originali e maturati.*

E questo, sia nei cento sonetti inediti, che hanno segnato il primo passo letterario, mettendo in evidenza, pur dissimulate, le ossessioni della fase successiva, sia nell'introvabile Barnum Digest, *apparso nella primavera del '48 illustrato da Jean Boullet, sia nelle poesie di* Cantilènes en gelée, *recensite unicamente da Marcel Largeaud in un giornale di provincia, e infine nella plaquette apparsa in libreria nel giugno del 1962:* Je voudrais pas crever, *ventitré composizioni (al dire dei militanti ricordano la snodata articolazione delle canzoni) che in gran parte si possono datare nel biennio '51-52, fatta eccezione per alcune divulgate da riviste a larga tiratura come* l'Express. *Come è stato precisato, la qualità principale dei testi che forse più di tutti gli altri suoi lavori hanno contribuito alla gloria postuma di Vian, è di non concedere sfogo alla fantasia in libertà, ma di rappresentare il volto di una realtà diversa, nella quale lo scrittore si proietta con una voluttà assetata di morte.*

Poiché al di là della posa eccentrica, della provocazione deliberata, del gusto della festa intesa come malizioso strumento per indurre gli altri a scoprirsi, del graffio satirico, è la certezza dello scacco finale che sgomenta e disorienta Boris Vian. Ecco il motivo del suo rifugiarsi nel mondo della sensazione voltando le spalle alla moda contemporanea dell'introspezione psicologica e, una volta preso atto che la gerarchia di valori stabilita dal codice estetizzante verso cui lo sospingeva il mito wildiano mascherava il nulla, la decisione di resistere alla persecuzione delle cose sfruttando l'unico mezzo a sua disposizione: il linguaggio. Che trasformato in occasione di parola, gli concede di rimettere in discussione tutti i valori di un mondo respingente. Dato che le parole hanno in se stesse una vita autonoma e indipendente dal loro significato normale, e aiutano a scoprire una nuova dimensione in cui la fantasia gioca un ruolo assai diverso, eccitante, in fondo, come il personaggio di un suo racconto, Vian ad un certo punto del suo itinerario si accorge che basta modificarle per ottenere una realtà meno deludente, addirittura per fondare su di loro un universo. Il metodo preferito è quello di fondere in una sola parola due realtà verbali incompatibili, di sconvolgere l'ordine del tempo, di modificare le convenzioni spaziali, di abbandonarsi al piacere del travestimento, fino a raggiungere il traguardo dell'astrazione. Ed è giusto la consapevolezza di una mistificazione per vari aspetti irritante che gli partecipa uno strano senso di libertà, utile a fargli ritrovare il filo smarrito di un'armonia distrutta dalla maschera cupa della morte, contro cui le illusioni generazionali si dissolvono prive di consistenza. Del resto l'esempio dei matematici gli ha insegnato che bisogna creare come loro un universo che si chiama storia, nel quale una serie di contrattempi l'hanno costretto a vivere in maniera diversa dai sogni giovanili, così dolorosamente e amaramente da indurlo a ritenersi una cavia utile alla presa di coscienza altrui.

Ed è questa precisa consapevolezza a fargli cantare la bellezza del sole, della donna, della nebbia, dei bimbi che ridono, dell'esercizio poetico, quasi la brevità dell'esistenza si dovesse tradurre in uno stimolo a cercare sulla terra le schegge di felicità disseminate un po' dovunque, nell'attesa di qualcuno pronto a raccoglierle. Come ha fatto lui che pure sapeva di dover lottare contro un male inguaribile, e invece di arrendersi sfiduciato, ricavava dalla stessa mancanza di energie sempre nuova linfa per inventare, sperimentare, saggiare nuove possibilità. Purtroppo le ventitré liriche di Je voudrais pas crever, del suo messaggio morale, della sua ricerca stilistica, della sua gioia di calpestare il pianeta terra, del suo geloso pudore, della certezza ancora di dover presto chiudere gli occhi all'incanto della vita, lasciano intravvedere appena qualche barlume. Quanto basta a far capire però lo stesso la sua condanna d'una società devastata dai miti del consumismo, piagata dagli incubi dell'alienazione, contro la quale Vian propone la ricchezza della povertà, basata sul rifiuto del compromesso e l'accettazione delle responsabilità.

Certo che per avere una misura più ampia e orchestrata della sua abilità nel pensare per immagini, e del suo coraggio morale, accanto alla raccolta che Michel Rybalka nel suo importante saggio ha definito un «brillante esercizio stilistico», seducente per il suo taglio lucido e nello stesso tempo per l'impegno che scandisce i versi delle composizioni più riuscite, nelle quali viene proclamata la fine di un sistema abituato a veder sacrificato il diritto dell'uomo alla sua libertà, con stacchi improvvisi e languidi abbandoni che ricordano l'appassionata esperienza jazzista (in Ecume des jours c'è chi ha ravvisato in vari passaggi lo stile giungla della musica di Ellington), non sarebbe male soffermarsi un istante ad esaminare i testi delle sue canzoni. Esse hanno preso, anzi rubato, quasi interamente le sue energie nella stagione ultima, prossima all'addio. Purtroppo è un'impresa per il momento disperata, dato che giacciono mescolate alla rinfusa a centinaia di articoli e recensioni, in attesa di un edi-

tore che si decida finalmente a renderle accessibili. Sebbene meno registrate sul piano formale, è lecito affermare che restituiscono in veste più ingenua, dimessa, lo stesso fascinoso impasto di tenerezza e di protesta, di gentilezza e di intransigenza. Arrivando a far capire, ora arrese al sentimento più scoperto, ora costruite sul filo del grottesco più malizioso, che il suo «essere contro» non nasceva da una soggezione al vizio retorico del nostro tempo, ma da una stupefacente anticipazione delle esigenze che avrebbero inquietato le nuove generazioni. Ovverossia il suo pubblico ideale, al quale non si stancava mai di ripetere, come già nelle poesie di Je voudrais pas crever, *la parola cuore. Lo scordato strumento, per ricorrere ad un famoso verso montaliano, che avrebbe cessato di battere un mattino d'estate dell'ormai lontano 1959 assistendo alla proiezione del film* J'irai cracher sur vos tombes, *realizzato contro il suo desiderio.*

Stando alle indiscrezioni dei soliti ambienti bene informati, Boris Vian era indeciso se far apparire sugli schermi il suo nome, e per questo motivo aveva chiesto di vederlo. Un episodio che doveva costargli, al dire degli amici, probabilmente la vita. Non è facile rispondere all'interrogativo sul peso avuto dalla sofferenza patita nei terribili minuti in cui ha visto il suo discusso romanzo tradotto in immagini non aderenti alla sua segreta speranza. La verità è che parafrasando una riflessione di Jean Clouzet, non si può tacere che per uno di quei tiri della sorte che verrebbe spontaneo dubitare accadano, il libro che aveva spalancato la porta della sua vita pubblica, è stato lo stesso che bruscamente l'ha chiusa. Fortunatamente restano le sue poesie, i suoi romanzi, i suoi saggi, le sue cronache, le sue commedie, i suoi articoli di costume. Una produzione così vasta che forse ci vorranno ancora degli anni per un'approssimazione critica in grado di riparare alle manchevolezze, alle vistose lacune, e di suggerire nuove interpretazioni più aderenti alla sua multiforme, vulcanica personalità di scrittore-filosofo (un aspetto finora trascurato), che nella sua parabola d'impianto autobiografico ha sempre tentato di servire gli altri aiutandoli a cercare il senso profondo, vitale, dell'esistenza.

G.A. Cibotto

Nota alla traduzione

Desidero ringraziare pubblicamente gli amici che disinteressatamente mi hanno aiutato nella fatica di rendere l'impossibile musica di Vian. Anzitutto il professor Dante Bovo, la dolce e implacabile amica Cinzia Colombo, i dilettissimi Franca e Mario Baratto. Infine Gianni Nicoletti, Ginevra Bompiani solita a ricorrere nella sua fatica di traduttrice all'ausilio dei dizionari, e stavolta costretta a interpellare i suoi amici parigini. Insomma se una resa viziata d'improbabilità dei poemi di Boris Vian è stata possibile, il merito non spetta ad una sola persona, cioè al sottoscritto, bensì ad un collettivo amicale che in Tiziano Rizzo ha avuto il pungolatore quotidiano. Per amor di completezza vorrei aggiungere ancora un nome, Ciro Cristofoletti (che al «Tabou» ha sfoggiato il suo finto monocolo per approvare le esibizioni di testa cui ricorreva un estroso trombettista di nome Vian), un personaggio che dal suo ritorno all'ombra della libreria trevisana, diretta spaventando le clienti ignare del fenomeno Stendhal, mi ha istigato alla scoperta. Anzi alla divulgazione, finché non mi sono accinto all'impresa d'una traduzione infedele nella fedeltà. Appesantita da qualche licenza, ma più ancora dall'intraducibilità dei giochi verbali che in sostanza non erano tali, di quello strano profeta disarmato rispondente al nome di Boris Vian. Ancora due ombre gentili, non vorrei dimenticare: Anna Lyda Olivieri, personaggio d'altri tempi, innamorata del mito austro-ungarico. Nella sua casa silente, appartata nel verde, stile liberty, in compagnia d'una ventina di cani «randagi come me», ho potuto terminare l'assurda fatica di restituire il timbro inconfondibile di un poeta. Infine mia sorella Anna Maria, sempre viva nella mia memoria.

G.A.C.

Nota biobibliografica

LA VITA

Boris Vian è nato a Ville-d'Avray (Seine-et-Oise) il 10 marzo del 1920. Secondo di quattro figli (il primo è Lelio, il terzo Alain e quarta una bambina, Ninon) trascorre un'infanzia tranquilla, per quanto fin dai dodici anni angustiata da una cagionevole salute: un'insufficienza valvolare dell'aorta che minaccerà costantemente la sua esistenza, aggravandosi col tempo.

La casa ove abitano in quel tempo i Vian è vicina a quella del biologo Jean Rostand, con cui essi sono in amicizia; a lui sarà dedicato il primo romanzo pubblicato da Boris. L'estate i Vian si trasferiscono in genere in campagna a Landemer, vicino a Cherbourg. Per quel che riguarda gli studi, Boris dal 1933 al 1936 frequenta il Liceo Hoche a Versailles, passando nel 37 per la classe di Matematica al Condorcet di Parigi. Nel 1938 Duke Ellington tiene dei concerti a Parigi, ed egli accorre ad ascoltarlo: si sente fortemente attratto dalla musica jazz ed è allora che comincia a suonare la tromba.

Scoppia la guerra e i Vian nell'estate del 1940 si rifugiano a Cap-Breton; qui Boris conosce Michele Léglise che sposerà nel luglio dell'anno dopo. Da questo matrimonio nell'aprile del 1942 nasce Patrick, e quello stesso anno Boris, diplomatosi in ingegneria, entra all'AFNOR (Association Française de Normalisation). Nel frattempo, fatta conoscenza con il clarinettista Claude Abbadie, suona in una vera orchestra jazz al «Tabou». Questi anni tra il '41 e l'agosto del '44, quando Parigi sarà liberata, sono fondamentali per Vian: egli vive a Saint-Germain-des-Prés tra il suo lavoro d'ingegnere, gli ambienti esistenzialisti e jazz e matura la sua personalità di scrittore. Infatti nell'inverno del '42 scrive *Trouble dans les Andains* (che verrà pubblicato postumo), nel '43 le prime novelle e un secondo romanzo, nonché ben cento sonetti che resteranno inediti e, fin ad oggi, da ritenere scomparsi.

E arriva il 1946, l'anno d'oro per Boris: da giugno inizia la collaborazione a *Jazz-Hot* e a *Les Temps Modernes* (con le «Croniques du Menteur»), nonché a *Combat* da settembre; vistosi accettato da Gallimard *Vercoquin et le plancton* (che uscirà nel dicembre, ma sarà distribuito nel gennaio del '47), si mette a scrivere *L'Ecume des jours*, pubblicandone nell'ottobre alcuni capitoli sulla rivista di Sartre; inoltre scrive *L'Equarrissage pour tous* e nel novembre butta giù un abbozzo di *L'Automne à Pékin*. È un anno che ci chiarisce la grande versatilità di Boris nello scrivere e, in fondo, quella genialità vulcanica nel buttar giù le idee e in breve tempo maturarle; un temperamento tipico da scrittore neorealista americano. Sotto questo aspetto l'avvenimento più importante resta la pubblicazione, nel novembre di quell'anno fatidico, di *J'irai cracher sur vos tombes* attribuito a un fantomatico scrittore americano, Vernon Sullivan, nella «traduzione» francese di Boris Vian. È accaduto in realtà che l'editore Jean d'Halluin ha chiesto consiglio al suo amico Boris per la scelta di un romanzo americano: dal momento che il genere narrativo americano è di moda, un best-seller ambientato nella mala e carico di sesso potrebbe infatti risolvere le finanze languenti dell'editore. Per tutta risposta Boris gli assicura che ci penserà lui a creargli in quindici giorni un best-seller e uno scrittore. In pratica scriverà ciò che avrebbe dovuto scrivere un narratore americano; questo romanziere, di cui egli apparirà invece come il traduttore, si chiamerà Vernon Sullivan: Vernon da Paul Vernon, musicista dell'orchestra di Claude Abbadie, e Sullivan da Joe Sullivan, pianista di jazz. È la fine di luglio del '46; il romanzo è scritto tutto d'un fiato tra il 5 e il 15 agosto. A novembre è in libreria. Ma il trucco in fondo non convince nessuno e, dal gennaio del '47, parlando dell'autore di *J'irai cracher sur vos tombes* già lo si confonde con quello di *Vercoquin et le plancton* e del trombettista dell'orchestra di Claude Abbadie. È un fatto che la fama improvvisamente è arrivata per Boris Vian, e poco importa che essa gli possa esser venuta non tanto dal romanzo uscito presso Gallimard, quanto da un libro scandalistico perseguito anche in sede giudiziaria sotto accusa di pornografia: la conseguente ammenda di 100.000 franchi per l'editore e il «traduttore» è del resto ben compensata dalla vendita per un guadagno di circa 2 milioni.

Sulla cresta dell'onda, Vian pubblica da Gallimard nel marzo del 1947 *L'Ecume des jours*, ma il pubblico non lo legge molto, attratto piuttosto dal romanzo di Sullivan che ha una seconda edizione quell'anno; e finché il ferro è caldo, d'Halluin intende batterlo. Boris viene così convinto a scrivere un altro romanzo, e alla fine del '47 esce *Les Morts ont tous la même peau*. Ma evidentemente egli paga lo scotto di tutto questo affrettato produrre in sottobosco; Gallimard rifiuta il suo terzo romanzo e *L'Automne à Pékin* esce nelle Editions du Scorpion, le stesse dei libri di Sullivan. Non per questo egli si tira indietro: il 22 aprile del '48 al Théâtre Verlaine va in scena fino al 31 luglio un adattamento del primo romanzo di Sullivan, e quello stesso anno escono gli altri due romanzi all'insegna del solito fantomatico nome: *Et on tuera tous les affreux* e *Elles se rendent pas compte*. È chiaro che l'imbroglio è stato soltanto una *question d'argent* e che al limite si può riconoscere in tutta la montatura una *boutade*; d'altronde Boris trova anche tempo di scrivere poesie; infatti sempre nel 48 esce la plaquette *Barnum's Digest*.

A questo punto, messosi alle spalle Vernon Sullivan, egli non ha alternative alla *question d'argent*; farà veramente il traduttore. È un'attività in cui si butta a corpo morto giungendo a tradurre ben 15 volumi in poco più di 15 anni, ed è quello che per ora lo fa campare. Infatti ha lasciato l'ufficio d'ingegnere all'AFNOR: per uno che ami a fondo l'ambiente del jazz, frequentarlo significa rendersi liberi e non legarsi ad orari di lavoro. Per questo preferisce tradurre e collaborare alle riviste: su *Jazz-Hot* dal dicembre del 1947 ha la rubrica fissa «Revue de Presse» e scrivere di jazz per lui è una consolazione visto che non può più suonare la tromba come una volta a causa del suo cuore malato. A volte nelle traduzioni l'aiuta la moglie, dalla quale ha avuto anche una figlia, Carolle. Ma improvvisamente il matrimonio entra in crisi: nell'estate del '49 Boris incontra Ursula Kübler, una ragazza di Zurigo: è un colpo di fulmine. Va a vivere con lei in boulevard de Clichy; il divorzio è del 1952, il nuovo matrimonio l'8 febbraio del '54. La pubblicazione delle sue opere prosegue: nel '49 le novelle di *Les Fourmis*; nel 1950 il romanzo *L'Herbe rouge*, le poesie di *Cantilènes en gelée* e le pièces *Le dernier des métiers* e *L'Equarrissage pour tous*, quest'ultima già apparsa in «version digérée» nel '48. Scarso è però l'interesse del pubblico; piuttosto negativo il giudizio di certa critica. È accaduto che, identificando Vian con Sullivan, l'uno non ha trovato più nell'autore l'eccitante invito alla lettura e l'altro si è fatto un preconcetto che, in linea di massima, sarà cancellato, e molto lentamente, solo dopo la morte dello scrittore.

L'insuccesso lascia un po' il segno su Boris Vian che tornerà al pubblico dei lettori soltanto nel '53, e per l'ultima volta, con un romanzo (senz'altro il suo migliore), *L'Arrache-coeur*, ugualmente però poco notato probabilmente perché di più difficile lettura. Continuerà a scrivere per il teatro: sono di questo periodo *Le Gouter des généraux*, *Tête de méduse*, *Serie blême*, tutte pubblicate postume, e *Les Batisseurs d'Empire*, che vedrà invece la stampa lo stesso anno della morte dell'autore grazie al Collège de Pataphysique, l'associazione fondata il 29 dicembre del '48 in collegamento a quella «Science des solutions imaginaires» esaltata da Jarry in *Les Gestes et opinions du docteur Faustroll*. Dall'8 giugno del '52 Boris infatti ne fa parte, perché la pièce *L'Equarrissage pour tous* è stata giudicata dalla «Sous-Commission de la Cantonade» del Collège una tipica opera patafisica; e da allora egli potrà collaborare anche ai *Cahiers* e ai *Dossiers*, pubblicazioni periodiche del Collège. Inoltre lodi e amicizia gli vengono sempre da persone famose: Prévert, Queneau e Billetdoux.

Quel che gli procura da vivere negli ultimi anni comunque non è tanto la traduzione di questo o quel libro, quanto il giornalismo, mai da lui abbandonato, e l'attività nel mondo musicale, a cui si dedica senza sosta, con passione e buon gusto. Scrive due libretti d'opera: *Le chevalier des neiges*, per la musica di Georges Delerue, rappresentata a Nancy nel febbraio del '57, e *Fiesta*, per la musica di Darius Milhaud, pubblicata nel '58 e rappresentata lo stesso anno il 3 ottobre all'Opera di Berlino. Più intensa e certo più spontanea per Boris l'attività nel campo specifico della canzone: direttore della Société Phonographique Philips dall'ottobre del 55 fino al maggio del 1959, quando passerà alla Barclay, egli compone anche circa quattrocento canzoni e, non contento di scriverle, le canta lui stesso. Infatti nel 55 incide per la Philips un microsolco dal titolo *Chansons possibles et impossibles* comprendendo dodici canzoni, ma le autorità lo tolgono dalla circolazione commerciale. È accaduto che una delle canzoni, intitolata *Le déserteur*, cantata più volte anche alla radio, riveli chiaramente uno spirito antimilitare; siamo ai tempi della guerra d'Algeria e una canzone contro la guerra non appare evidentemente di spirito troppo patriottico. E così il nome di Boris Vian si rivela nuovamente come sinonimo di scandalo. In ogni caso, frutto di questa attività nel campo della canzone è anche un libro, *En avant la zizique... et par ici les gros sous* uscito nel 1958, che è uno studio critico della canzone francese.

A completare il quadro della multiforme attività di Boris Vian non va dimenticata la sua «carriera cinematografica» con saltuari ma non meno intensi rapporti, sia con commenti a cortometraggi e sceneggiature, sia come attore in alcune caratterizzazioni; in Italia il più noto dei film a cui ha partecipato è senz'altro *Les liaisons dangereuses* di Vadim. Su questa scia Vian insieme all'amico Jacques Dopagne viene scrivendo un adattamento cinematografico del suo *J'irai cracher sur vos tombes*, ma nessun regista si interessa alla cosa, finché nel '58 però l'idea viene a qualcun altro e la sceneggiatura è affidata a Michel Gast. Il 23 giugno del 1959 Boris va ad assistere all'anteprima senza che nessuno lo abbia invitato: forse spera che il suo nome compaia da qualche parte: dopo soli dieci minuti di proiezione del film il cuore di Boris Vian cessa di battere per sempre.

LE OPERE *

J'irai cracher sur vos tombes

Editions du Scorpion, 1946. Romanzo pubblicato sotto il nome di Vernon Sullivan, «tradotto dall'americano da Boris Vian». Seconda edizione: Editions du Scorpion, 1947, con illustrazioni di Jean Boullet.

Sullo *Spectateur* del 26 novembre 1946 così recensiva il libro Robert Kanters: «Il narratore è un meticcio senza più alcuna caratteristica del negro, tanto da potersi far passare per bianco. Deve vendicare il fratello morto per i maltrattamenti dei bianchi, e allora decide di andare a letto con belle ragazze, bianche e ricche, rivelando loro che è di colore prima di ucciderle. Ciò gli riesce più o meno bene, ed è fatto fuori dalla polizia dopo un inseguimento di tipo cinematografico. Il racconto è breve, nervoso, vivo, ricco di scene di alcoolismo, erotismo e sadismo. È il caso di dire che nessun vero problema vi è trattato,

---

* La presente scheda bibliografica, lungi dal poter essere completa, a causa del continuo venire alla luce di inediti di Boris Vian, intende in ogni caso costituire un'esauriente documentazione indicativa per quanti vogliano conoscere più a fondo la personalità affascinante ed originale di questo scrittore, che in Italia è più o meno sconosciuto dal pubblico e, cosa ben più grave, ignorato dalla critica.

neppure per allusione... Editore e traduttore a proposito di questo Sullivan, il cui libro è inedito in inglese, fanno i nomi di Caldwell, Faulkner, Miller e Cain. Quest'ultimo mi sembra il più giustificato, ma bisogna essere assai poco sensibili ai valori per metterlo sullo stesso piano di un Faulkner, ad esempio. Aspettiamo almeno la pubblicazione del testo originario».

Vercoquin et le plancton

Editions de la N.R.F., Collection «La plume au vent», Gallimard, 1946. Nuova edizione: Gallimard, 1949.

Romanzo dedicato a Jean Rostand e scritto, come disse poi l'autore, «soprattutto per mostrare ai zazous, ovvero gli appassionati del brutto jazz e delle noiose festicciole da ballo, quel che accadeva ai vecchi tempi»; l'umorismo che anima il libro si concentra sull'attività dell'AFNOR dove Vian era entrato come ingegnere nel Servizio Tecnico. Secondo David Noakes «se è vero che il romanzo è interessante per farci conoscere l'ambiente in cui il suo autore viveva, sarebbe un torto non considerarlo assolutamente indegno della tradizione nella quale s'inserisce. È in Rabelais che questa tradizione inizia in Francia per sboccare (provvisoriamente forse) a Jarry. L'ombra del dottor Faustroll incombe già su Vercoquin. Patafisico da molto tempo prima di diventare membro del Collège de Pataphisique, Boris Vian alla prima prova già fa parte di quella famiglia spirituale che comprendeva Raymond Queneau e a cui doveva aggiungersi tra breve Eugène Ionesco, tutti e due destinati ad essere, come Vian, Trascendenti Satrapi del Collège» (in Boris Vian, Editions Universitaires, 1964, p. 53).

L'Ecume des jours

Editions de la N.R.F., Gallimard, 1947. Nuova edizione: Plon, 1963; Jean-Jacques Pauvert, 1972. Edizione italiana: in Sterpacuore (La schiuma dei giorni), traduzione di A. Donaudy, Rizzoli, Milano, 1965.

Romanzo; alcuni frammenti, dal capitolo XXXIII al LXVI (cioè le pp. 109-162 dell'edizione Gallimard), erano apparsi nell'ottobre del 46 su Les Temps Modernes. Questo l'avant-propos: «Colin incontra Cholé. Si amano. Si sposano. Cholé s'ammala. Colin si rovina per guarirla. Il medico non può salvarla. Cholé muore. Colin non vivrà più a lungo. Questa la storia che racconta Boris Vian nel suo nuovo romanzo... Due cose soltanto contano: l'amore, in ogni modo, e la musica della New-Orleans o di Duke Ellington. Il resto dovrebbe sparire, perché il resto è laido, e alcune pagine lo rivelano vero, proprio perché io l'ho immaginato dall'inizio alla fine. La sua realizzazione materiale propriamente detta consiste essenzialmente in una proiezione della realtà in atmosfera cupa e riscaldata, su un piano di rapporto irregolarmente ondulato e che si presenta distorto». Numerosi ultimamente gli studi su quest'opera: cfr. negli «Scritti su Boris Vian» in fondo a questa bibliografia quelli di G. Gadbois, M. Gauthier e C. Roubichon.

Les morts ont tous la même peau

Editions du Scorpion, 1947. Romanzo pubblicato sotto il nome di Vernon Sullivan, «tradotto dall'americano da Boris Vian».

L'eroe di questo secondo romanzo di Sullivan si chiama Dan Parker «negro erotomane e assassino» il cui nome ricalca chiaramente quello di Daniel Parker, il direttore di una «Association morale et sociale» che attaccò J'irai cracher sur vos tombes accusandolo di pornografia. Interessante la postface in cui Vian si rivolge ai critici dicendo: «Quando ammetterete che si può scrivere su Les temps modernes e non essere esistenzialista, amare lo scherzo e non farne sempre? Quando ammetterete la libertà».

L'Automne à Pékin

Editions du Scorpion, 1947. Seconda edizione rivista dall'autore: Editions de Minuit, 1956. Nuova edizione: Plon, 1964. Edizione italiana: L'autunno a Pechino, traduzione di M. Binazzi e M. Maglia, Rizzoli, Milano, 1966.

Romanzo «difficile e sconosciuto», lo definì Queneau nell'avant-propos a L'Arrache-coeur del 1953; per Noël Arnaud si tratta della «storia di una ricerca spirituale, il rapporto circostanziato d'una esplorazione condotta parallelamente da tre gruppi di cercatori per raggiungere la suprema Sapienza, l'apatia nell'astrazione» (in *Cahiers du Collège de Pataphysique*, 31 dicembre 1956); per il De Vree c'è un rapporto diretto con i libri di Fulcanelli (in *Boris Vian*, Le Terrain Vague, 1965, pp. 51-67).

Et on tuera tous les affreux

Editions du Scorpion, 1948. Romanzo pubblicato sotto il nome di Vernon Sullivan, «tradotto dall'americano da Boris Vian». Seconda edizione sotto il nome di Boris Vian:
Le Terrain Vague, 1960

Barnum's Digest

Editions Aux Deux Menteurs, 1948. Nuova edizione: Plon, 1970 (in *Cantilènes en gelée*). Nel sottotitolo si legge: «10 mostri fabbricati da Jean Boullet e tradotti dall'americano da Boris Vian»; l'indirizzo del fantomatico editore del 1948 al «68, avenue d'Italie, Paris» era in realtà quello del disegnatore Boullet. Il De Vree li definisce «trucchi in versi» (in *op. cit.*, p. 97).

Elles se rendent pas compte

Editions du Scorpion, 1948. Romanzo pubblicato sotto il nome di Vernon Sullivan, «tradotto dall'americano da Boris Vian». Nuova edizione: Le Terrain Vague, 1960.

L'Equarrissage pour tous

Editions de la N.R.F., Cahiers de la Pléiade, Gallimard, 1948 (in «version digérée»). Edizione completa: Editions Toutain, 1950, Nuove edizioni: Paris-Théâtre n. 66, novembre 1952; in *Théâtre*, Jean-Jacques Pauvert, 1965 e 1972.
«Vaudeville paramilitaire» scritta nel 1946 e rappresentata «aux Noctambules» da André Reybaz e la sua compagnia del Myrmidon; nell'edizione Toutain era seguita da *Le Dernier des métiers* e, in appendice, da quattordici articoli di critici teatrali alla rappresentazione della pièce «aux Noctambules», con l'aggiunta di commenti dell'autore per controbattere le varie posizioni. È un'opera contro la guerra, ma con un tono ben preciso come Vian osservava su *Opéra* il 12 aprile del 1950: «La pièce è piuttosto burlesca: mi è parso che valesse la pena far ridere alle spalle della guerra; è una maniera più sorniona di attaccarla, ma più efficace – e poi al diavolo l'efficacia... Se continuo su questo tono, va a finire che viene preso per uno spettacolo "propaganda per uomini di buona volontà", il che è proprio terrificante».

Les Fourmis

Editions du Scorpion, 1949. Nuove edizioni: Le Terrain Vague, 1960; Plon, 1971. Raccolta di 11 novelle scritte tra il 1944 e il 1945, nelle quali Vian secondo il De Vree «molto prima di Ionesco, e prima di Queneau, introduce già personaggi assolutamente non funzionali» (in *op. cit.*, p. 18). I titoli sono i seguenti: *les Fourmis*; *Les bons élèves*; *Le Voyage à Khonostrov*; *L'Ecrevisse*; *Le plombier*; *La Route déserte*; *Les Poissons morts*; *Blues pour un chat noir*; *Le Brouillard*; *l'Oie bleue*; *Le Figurant*.

Le Dernier des métiers

Editions Toutain, 1950 (con *L'Equarrissage pour tous*). Nuove edizioni: Jean-Jacques Pauvert, 1965; in *Théâtre*, Jean-Jacques Pauvert, 1972.
«Saynète pour patronages» dal tono «altamente profanatorio» concentrata sulla figura di un prete divenuto con il suo talento oratorio un vero mostro sacro; doveva completare lo spettacolo della recita di *L'Equarrissage pour tous* «aux Noctambules», ma proprio per lo spirito dissacrante del testo, Reybaz non se la sentì di recitarla, e così non fu rappresentata.

L'Herbe rouge

Editions Toutain, 1950. Nuove edizioni: in *Roman et Nouvelles*, Jean-Jacques Pauvert, 1962; Gallimard, 1969.
Romanzo in cui secondo Gaspard-Dutaneil «traspare più nettamente che altrove il male esistenziale del suo autore. Wolf, uno dei personaggi, tenta attraverso la psicoanalisi di

liberarsi del passato che lo attanaglia; ma non sembra che agli occhi dell'autore il suo personaggio possa salvarsi; Wolf non ha la forza di sostenere la prova a cui si è sottoposto e che lo porta al suicidio. È la crisi della psicoanalisi, ma per Vian non sembra possa esserci una via d'uscita» (in *Jazz-Hot*, ottobre 1959).

Cantilènes en gelée
Editeur Rougerie, Limoges, 1950. Nuova edizione: Plon, 1970.
19 poesie illustrate da Christiane Alanore, dedicate ognuna a una diversa persona; tra le altre, a Prévert, Bréton, Queneau, Simone de Beauvoir e Sartre.

L'Arrache-coeur
Editions Vrille, 1953. Nuove edizioni: in *Romans et Nouvelles*, Jean-Jacques Pauvert, 1962; Gallimard, 1968. Edizione italiana: *Sterpacuore*, cit., Milano, 1965.
Il romanzo nell'edizione Vrille era preceduto da una prefazione divenuta classica di Raymond Queneau.

Interviews Impubliables
Ed. Bonne, 1953. Nuova edizione Gilbert Ganne, Plon, 1965.

Fiesta
Heugel éditeur, 1958.
Opera in atto, musica di Darius Milhaud, libretto di Boris Vian. Rappresentata all'Opera di Berlino il 3 ottobre 1958.

En avant la zizique... et par ici les gros sous
Le Livre Contemporaine, 1958. Nuova edizione: La Jeune Parque, 1966.
Si tratta di un saggio sulla canzone, senza pretesa da parte del suo autore di esserne una storia; Vian racconta come nasca una canzone, come si scelga un interprete, nonché i rapporti con il pubblico e i critici, fino ad affrontare il rapporto tra il jazz e la canzone. Un libro che riflette l'esperienza di Vian come Direttore artistico della Philips.

Les Batisseurs d'Empire ou le Schmürz
Collège de Pataphysique, 1959. Seconda edizione: L'Arche, 1959. Nuove edizioni: in *Théâtre*, Jean-Jacques Pauvert, 1965 e 1972. Edizione italiana: *Il rumore*, traduzione di M. De Vecchis, Il Dramma, gennaio 1961.
Dramma in tre atti, il capolavoro teatrale di Vian. A proposito della parola *Schmürz* J.C. Jaubert scriveva su *Carrefour* del 9 dicembre 1959: «È una parola inventata da Ursula Kübler, la moglie di Boris Vian, per definire l'indefinibile. Deriva dal tedesco *Schmerz*, che significa pena. Nel gruppo che si riuniva a Parigi o a Saint-Tropez, *Schmürz* voleva indicare una cosa, un oggetto che si oppone a voi. È una scatola di fiammiferi, il portachiavi che vi sta davanti sul tavolo e che mandate al diavolo perché vi snerva; la pietra alla quale si dà un calcio col piede. E così nasce lo *schmürz*».
«In effetti», osserva David Noakes, «l'autore di *Les Batisseurs d'Empire*, come i drammaturghi del teatro dell'assurdo in genere, dà l'impressione di giocare con le parole. In un universo apparentemente sprovvisto di significato, il linguaggio sembra chiamato non a comunicare il "il senso" di qualcosa, ma a testimoniare certi stati di spirito (o, se si preferisce, stati d'animo). ... Se la sua ultima pièce ha permesso agli storici del dramma moderno di collegare Vian al teatro dell'assurdo, è insieme per il ruolo che egli affida al linguaggio e per la visione disperata che è riuscito ad incarnare sulla scena. Questa famiglia che sale di atto in atto sempre più in alto in ambienti sempre più angusti, divenendo essa stessa sempre meno numerosa, chiaramente vive, e fa sì che noi viviamo con essa, alcuni aspetti dell'assurdità della condizione umana, come Boris Vian li vedeva» (in *op. cit.*, p. 115).

Zoneilles
Collège de Pataphysique, 1962.
Sceneggiatura cinematografica di N. Arnaud, R. Queneau e B. Vian.

Le Gouter des généraux
Collège de Pataphysique, 1962. Nuove edizioni: in *Théâtre*, Jean-Jacques Pauvert, 1965 e 1972.
Dramma in tre atti, frutto di due successive stesure. Un riassunto delle differenze tra le due versioni della pièce si trova nei *Dossiers du Collège de Pataphysique*, 29 marzo 1962, pp. 61-64.

Les Lurettes fourrées
Jean-Jacques Pauvert, 1962 (in *Romans et Nouvelles*). Nuova edizione: Gallimard, 1969.
Breve raccolta di 3 novelle: *Le Rappel*; *Les Pompiers*; *Le Retraité*.

Je voudrais pas crever
Jean-Jacques Pauvert, 1962. Nuove edizioni: Tchou, 1967 (una scelta di 19 in *Chansons et poèmes*); Plon, 1970 (in *Cantilènes en gelée*).
23 poesie. Il titolo della plaquette è preso dalla prima poesia. A commento dell'ispirazione poetica è interessante una nota di Vian che risale al 10 febbraio 1953: «Mi viene in mente che è terribile, ma non so proprio come sarò dopo. Che tipo di vecchio. In fondo sarebbe questo il momento meraviglioso per morire. Allora che faccio: muoio o no? Vorrei riprendere un po' tutto questo; è parecchio che le cose si sono mosse, scrivo molto, un sacco di fesserie e questa che è una fesseria di tipo più personale ne soffre: è ingiusto, via! Il mio personale vale quanto quello degli altri, cioè altrettanto poco».

Boris Vian membre du corps des satrapes
Canetti, 1964.
30 canzoni di Boris Vian e testi di P. Kast, F. Caradec e J. Prévert.

Troubles dans les Andains
La Jeaune Parque, 1966. Nuova edizione: Plon, 1970.
Romanzo, scritto tra il 42 e il 43. Così si legge nel postface: «Esempio tipico del linguaggio-totale di Boris Vian, questa avventura dove si mischiano il terrore (faceto), l'inchiesta poliziesca (comica) e lo spionaggio-buffo, sono in effetti le parole che la portano avanti e la tessono, l'ingarbuliano e la mettono a nudo, rimbalzando e piroettando, e ci fanno ridere per certe stramberie. Boris Vian si sdoppia e si moltiplica in dieci personaggi che s'inseguono da Auteuil al Borneo, nuotano in fiumi di sangue, uccidendosi allegramente l'un l'altro, contendendosi un misterioso attrezzo, il forcuto *barbarin* [un'allusione al sesso maschile]. Una storia che Boris Vian aveva raccontato a se stesso, non potendo leggerla nel libro di un altro».

Textes et chansons
Juilliard, 1966. Nuova edizione: Tchou, 1967 (in *Chansons et poèmes*).

Chroniques de Jazz
La Jeune Parque, 1967.
Antologia a cura di Lucien Malson degli articoli di jazz scritti da Boris Vian su *Jazz-Hot* tra il dicembre 1947 e il luglio del 1958, nonché di quelli apparsi su *Combat* tra l'ottobre del '47 e il giugno del '49. Nella presentazione del libro Malson osserva: «Per la documentazione raccolta e il modo semplice e veramente accessibile con cui gli avvenimenti sono raccontati, egli si rivolge a tutti e rappresenta per la prima volta senza alcun dubbio la storia del jazz degli anni '40 e '50 redatta quasi quotidianamente... I capitoli nel loro susseguirsi confermano ciò che un giorno disse a Noël Arnaud, Henri Salvador, intimo di Boris: "Amava il jazz, non viveva che per il jazz, non comprendeva e non si esprimeva altro che con il jazz"»

Le Loup garou
Christian Bourgois, 1970.

Raccolta di 13 novelle. I titoli sono: *Le Loup garou*; *Un cœur d'or*; *Les Remparts du sud*; *L'Amour est aveugle*; *Martin m'a téléphoné*; *Marseille commencait à s'éveiller*; *Les chiens, le desir et la mort*; *Le pas vernis*; *Une pénible histoire*; *Le Penseur*; *Surprise-partie chez Léobille*; *Le Voyeur*; *Le Danger des classiques*.

Théâtre inédit
Christian Bourgois, 1970.
Comprende le due pièces *Tête de méduse* (scritta nel 51) e *Série blême* (scritta nel 54).

Le Chasseur français
Christian Bourgois, 1970.
Commedia musicale.

Poèmes inédites
Plon, 1970 (in *Cantilènes en gelée*).
Nuove poesie con alcune lettere dello scrittore.

En verve
P. Horay, 1970.
Saggio con rappresentazione di N. Arnaud.

Manuel de St. Germain des Prés
Editions de Chêne, 1974.

Derrière la zizique, Bourgois, 1976; U.G.E., 10/18, 1981.
Petits spectacles (1947-1959), Bourgois, 1977; U.G.E.; 10/18, 1980.
Cinéma / Science-fiction (1946-1958), Bourgois, 1978; U.G.E.; 10/18, 1980.
Traité de civisme (1950-1959), présenté par Guy Laforêt, Bourgois, 1979.
Écrits pornographiques (1947-1958?), Bourgois, 1980; U.G.E.; 10/18, 1981.
Écrits sur le jazz, tome 1 (1946-1952), Bourgois, 1981.
Le Ratichon baigneur (1946-1952), Bourgois, 1981; U.G.E., 10/18, 1982.
Autres écrits sur le jazz, tome 2 (1946-1957), Bourgois, 1982.
La Belle Époque (1946-1959), Bourgois, 1982.
Opéras (1958-1959), Bourgois, 1982.
Chansons (1944-1959), Bourgois, 1984.
Cent sonnets (1939-1944), Bourgois, 1984; U.G.E.; 10/18, 1987.
Rue des Ravissantes (1941-1959), Bourgois, 1989.
B. VIAN, *Romans, nouvelles, œuvres diverses* (présentés par G. Pestureau) Classiques modernes/La Pochothèque, Paris, Le Livre de Poche, 1991.

Tra gli scritti di Boris Vian non raccolti in volume, vanno ricordati gli articoli apparsi su *Midi libre*, *Radio 49*, *Radio 50*, *Arts*, *Jazz New*, *La Parisienne* e *Constellation*, al quale collaborò con lo pseudonimo di Adolphe Schmurz, nonché numerosi commenti di dischi scritti con lo pseudonimo di Michel Delaroche.

Per avere un quadro abbastanza completo della produzione di Boris Vian è bene ricordare le numerose traduzioni da lui fatte; eccone l'elenco cronologico.

Le grand Horloger di K. Fearing, Nourritures terrestres, 1947.
La dame du lac di R. Chandler, N.R.F., 1948.
Le grand sommeil di R. Chandler, N.R.F., 1948.
Les femmes s'en balancent di P. Cheyney, N.R.F., 1949 (in collaborazione con sua moglie Michele).
Le jeune homme à la trompette di D. Baker, N.R.F., 1951.
Le bluffeur di J.M. Cain, N.R.F., 1951.
Mademoiselle Julie di A. Strindberg, Paris-Théâtre, 1952.
Histoire d'un soldat di O.N. Bradley, N.R.F., 1952.
Le monde des A di A.E. Vogt, N.R.F., 1953.

L'homme au bras d'or di N. Algren, N.R.F., 1956.
Les aventures des A di A.E. Vogt, N.R.F., 1957.
Les trois visages d'Eve di Thigpen e Checkley, N.R.F., 1958.
Erik XIV di A. Strindberg, L'Arche, 1958 (in collaborazione con Carl-Gustav Bjurstrom).
Le client du matin di B. Behan, N.R.F., 1959 (in collaborazione con Jacqueline Sund-strom).

SCRITTI SU BORIS VIAN

A. BAY, in *La Gazette des lettres*, 21 dicembre 1946.
R. KANTERS, in *Spectateur*, 26 novembre 1946.
E. LALOU, in *Quatre et trois*, 27 marzo 1947.
L. MALSON, in *Jazz Magazine*, 1951.
Y. BUIN, in *Clarté*, 1951.
F. BILLETDOUX, in *Arts*, 3 aprile 1953.
R. QUENEAU, introduzione a *L'Arrache-coeur*, Vrille, 1953.
N. ARNAUD, in *Cahiers du C. de Pataphysique*, 3 dicembre 1956.
P. KAST, in *L'Observateur*, luglio 1959.
P. KAST, in *Les cahiers du cinema*, agosto 1959.
A. KÜBLER, in *Neue Zuricher Zeitung*, 20 settembre 1959.
J.J. GASPARD-DUTANEIL, in *Jazz-Hot*, ottobre 1959.
C. LEON, *ibidem*.
J.C. JAUBERT, in *Carrefour*, 9 dicembre 1959.
P. PIA, in *Dossiers du C. de Pataphysique*, 23 giugno 1960.
A. KÜBLER, *ibidem*.
F. CARADEC, *ibidem* (bibliografia commentata delle opere di Vian).
M. DE VECCHIS, «Leggenda dell'anarchico Boris Vian» in *Il Dramma*, gennaio 1961, Torino.
F. DE VREE, *Blues pour Boris Vian*, ed. de Tafelronde, Anversa, 1961.
F. HELLENS, in *Le Soir*, Bruxelles, 14 settembre 1961.
F. CARADEC, in *Dossiers du C. de Pataphysique*, 29 marzo 1962 (aggiornamento bibliografico).
P. KAST, introduzione a *Romans et Nouvelles*, Pauvert, 1962.
F. CARADEC, «Le temps feminin», *ibidem*.
C. ROY, in *La Nouvelle Revue française*, 1° dicembre 1962.
J. BENS, «Un language-univers» in *L'écume des jours*, La Jeune Parque, 1963.
J. PIATIER, in *Le Monde*, 24 agosto 1963.
W.D. NOAKES, *Boris Vian*, Editions Universitaires, 1964.
F. CARADEC, «Passage de Boris Vian» in *Boris Vian membre du corps des satrapes*, Canetti, 1964.
J. PRÉVERT, «Lettre à Boris Vian», *ibidem*.
P. KAST, «A propos de Boris Vian», *ibidem*.
G. DUROZOI-PH. GAUTHIER, «Notes sur "L'Automne à Pékin"» in *Hespérius*, n. 2 del 1965.
F. DE VREE, *Boris Vian*, Le Terrain Vague, 1965.
J. CLOUZET, *Boris Vian*, Seghers, 1966.
N. ARNAUD, Introduzione a *Textes et chansons*, Julliard, 1966.
L. MALSON, Introduzione a *Chroniques de Jazz*, La Jeune Parque, 1967.
J. LEMARCHAND, in *Le Figaro Littéraire*, 8 aprile 1968.
R. BOYER, «Mots et jeux de mots chez Prévert, Queneau, Boris Vian, Ionesco» in *Studia Neophilologica*, n. 40, 1968.
J. DUCHATEAU, *Boris Vian, essai d'interprétation et de documentation*, Minard, 1969.
N. ARNAUD, *Les vies parallèles de Boris Vian*, La Jeune Parque, 1970.

J. LEMARCHAND, in *Le Monde*, 20 novembre 1970.

N. ARNAUD, presentazione di *En verve*, P. Horay, 1970.

V. GADBOIS, *Le jeu verbal dans «L'écume des jours» de Boris Vian*, Tesi di Laurea, Aix, 1972.

F. BILLETDOUX, Préface a *Théâtre*, Jean-Jacques Pauvert, 1972.

H. BAUDIN, *Boris Vian humoriste*, Presses Universitaires, Grenoble, 1973.

M. GAUTHIER, *«L'écume des jours» de B.V.*, Coll. «Profil d'une oeuvre», Hatier, 1973.

G. ROUBICHON, *«L'écume des jours» de B.V.*, Coll. «Lire aujourd'hui», Hachette, 1974.

N. ARNAUD, *Dossier de l'affaire «J'irai cracher sur vos tombes»*, Bourgois, 1974.

N. ARNAUD, Noël et BAUDIN, Henri (sous la direction de), *Boris Vian – Colloque de Cerisy*, 1 et 2, U.G.E., 10/18, 1977.

N. ARNAUD, D'DÉE, VIAN, Ursula, *Images de Boris Vian*, Horay, 1978.

D. NOAKES, *Boris Vian*, Éditions Universitaires, 1964. *Obliques*, numéro spécial *«Boris Vian de A à Z»*, n. 8-9, 1976, 1981.

M. RYBALKA, *Boris Vian, essai d'interprétation et de documentation*, Minard, 1969, 1984.

G. PESTUREAU, *Dictionnaire Vian* (dizionario dei personaggi di Boris Vian), Bourgois, 1985.

Magazine littéraire, numéro spéciale *«Boris Vian»* n° 17, avril 1958; n° 87, avril 1974; n° 182, mars 1982; n° 270, octobre 1989.

DISCOGRAFIA

Chansons possibles et impossibles (33 tours, 30 cm). Philips, 1955.
L'Intégrale Boris Vian (coffret de 5 disques 33 tours, 30 cm). Jacques Canetti, 1964.
Boris Vian et ses interprètes (6 CD/6 cassettes ou 2 CD/2 cassettes). Polygram, 1991.

CINEMA E TELEVISIONE

L'Écume des jours, mis en scène par Charles Belmont, 1968.
L'Herbe rouge, mis en scène par Pierre Kast, 1984.

Je voudrais pas crever
Non vorrei crepare

Je voudrais pas crever
Avant d'avoir connu
Les chiens noirs du Mexique
Qui dorment sans rêver
Les singes à cul nu
Dévoreurs de tropiques
Les araignées d'argent
Au nid truffé de bulles
Je voudrais pas crever
Sans savoir si la lune
Sous son faux air de thune
A un côté pointu
Si le soleil est froid
Si les quatre saisons
Ne sont vraiment que quatre
Sans avoir essayé
De porter une robe
Sur les grands boulevards
Sans avoir regardé
Dans un regard d'égout
Sans avoir mis mon zobe
Dans des coinstots bizarres
Je voudrais pas finir
Sans connaître la lèpre
Ou les sept maladies
Qu'on attrape là-bas
Le bon ni le mauvais
Ne me feraient de peine
Si si si je savais
Que j'en aurai l'étrenne
Et il y a z aussi
Tout ce que je connais
Tout ce que j'apprécie
Que je sais qui me plaît
Le fond vert de la mer
Où valsent les brins d'algue
Sur le sable ondulé
L'herbe grillée de juin

Non vorrei crepare

Non vorrei crepare
Prima di aver conosciuto
I cani neri del Messico
Che dormono senza sognare.
Le scimmie dal culo pelato
Divoratrici di fiori tropicali
I ragni d'argento
Dal nido pieno di bolle
Non vorrei crepare
Senza sapere se la luna
Dietro la faccia di vecchia moneta
Abbia una parte puntuta
Se il sole sia freddo
Se le quattro stagioni
Siano poi veramente quattro
Senza aver tentato
Di sfoggiare un vestito
Lungo i grandi viali alberati
Senza aver contemplato
La bocca delle fogne
Senza aver ficcato il cazzo
In certi angoli bizzarri
Non vorrei crepare
Senza conoscere la lebbra
O le sette malattie
Che si prendono laggiù
Il buono e il cattivo
Non mi tormenterebbero
Se sapessi
Che ci sarà una prima volta
E troverò pure
Tutto ciò che conosco
Tutto ciò che apprezzo
E sono sicuro mi piace
Il fondo verde del mare
Dove ballano i filamenti delle alghe
Sulla sabbia ondulata
La terra bruciata di giugno

La terre qui craquelle
L'odeur des conifères
Et les baisers de celle
Que ceci que cela
La belle que voilà
Mon Ourson, l'Ursula
Je voudrais pas crever
Avant d'avoir usé
Sa bouche avec ma bouche
Son corps avec mes mains
Le reste avec mes yeux
J'en dis pas plus faut bien
Rester révérencieux
Je voudrais pas mourir
Sans qu'on ait inventé
Les roses éternelles
La journée de deux heures
La mer à la montagne
La montagne à la mer
La fin de la douleur
Les journaux en couleurs
Tous les enfants contents
Et tant de trucs encore
Qui dorment dans les crânes
Des géniaux ingénieurs
Des jardiniers joviaux
Des soucieux socialistes
Des urbains urbanistes
Et des pensifs penseurs
Tant de choses à voir
A voir et à z-entendre
Tant de temps à attendre
A chercher dans le noir

Et moi je vois la fin
Qui grouille et qui s'amène
Avec sa gueule moche
Et qui m'ouvre ses bras
De grenouille bancroche

Je voudrais pas crever

La terra che si screpola
L'odore delle conifere
Ed i baci di colei
Che mi fa stravedere
La bella per essenza
Il mio orsacchiotto, l'Orsola
Non vorrei crepare
Prima di aver consumato
La sua bocca con la mia bocca
Il suo corpo con le mie mani
Il resto con i miei occhi
Non dico altro bisogna
Restare umili
Non vorrei crepare
Prima che abbiano inventato
Le rose eterne
La giornata di due ore
Il mare in montagna
La montagna al mare
La fine del dolore
I giornali a colori
La felicità dei ragazzi
E tante cose ancora
Che dormono nei crani
Degli ingegneri geniali
Dei giardinieri allegri
Di socievoli socialisti
Di urbani urbanisti
E di pensierosi pensatori
Tante cose da vedere
Da vedere e da sentire
Tanto tempo da aspettare
Da cercare nel nero

E io vedo la fine
Che brulica e che arriva
Con la sua gola schifosa
E che m'apre le braccia
Da rana storpia

Non vorrei crepare

33

Non monsieur non madame
Avant d'avoir tâté
Le goût qui me tourment
Le goût qu'est le plus fort
Je voudrais pas crever
Avant d'avoir goûté
La saveur de la mort...

Nossignore nossignora
Prima d'aver assaporato
Il piacere che tormenta
Il gusto più intenso
Non vorrei crepare
Prima di aver gustato
Il sapore della morte...

Pourquoi que je vis

Pourquoi que je vis
Pourquoi que je vis
Pour la jambe jaune
D'une femme blonde
Appuyée au mur
Sous le plein soleil
Pour la voile ronde
D'un pointu du port
Pour l'ombre des stores
Le café glacé
Qu'on boit dans un tube
Pour toucher le sable
Voir le fond de l'eau
Qui devient si bleu
Qui descend si bas
Avec les poissons
Les calmes poissons
Ils paissent le fond
Volent au-dessus
Des algues cheveux
Comme zoizeaux lents
Comme zoizeaux bleus
Porquoi que je vis
Parce que c'est joli.

Perché vivo

Perché vivo
Perché vivo
Per la gamba gialla
D'una donna bionda
Appoggiata al muro
In pieno sole
Per la vela gonfia
Di un battello del porto
Per l'ombra delle tende
Il caffè ghiacciato
Che si beve con la cannuccia
Per toccare la sabbia
Vedere il fondo dell'acqua
Che diventa così azzurro
Che discende tanto in basso
Con i pesci
I calmi pesci
Pascolanti sul fondo
Che si librano sopra
I capelli delle alghe
Come uccelli lenti
Come uccelli azzurri
Perché vivo
Perché è bello.

La vie, c'est comme une dent

La vie, c'est comme une dent
D'abord on y a pas pensé
On s'est contenté de mâcher
Et puis ça se gâte soudain
Ça vous fait mal, et on y tient
Et on la soigne et les soucis,
Et pour qu'on soit vraiment guéri
Il faut vous l'arracher, la vie.

La vita, è come un dente

La vita, è come un dente
All'inizio non ci si pensa
Felici di masticare
Ma poi ecco che d'improvviso si guasta
Fa male, e preoccupati
Lo si cura non senza fastidi
E per essere veramente guariti,
Bisogna strapparlo, la vita.

Y *avait une lampe de cuivre*

Y avait une lampe de cuivre
Qui brûlait depuis des années
Y avait un miroir enchanté
Et l'on y voyait le visage
Le visage que l'on aurait
Sur le lit doré de la mort
Y avait un livre de cuir bleu
Où tenaient le ciel et la terre
L'eau, le feu, les treize mystères
Un sablier filait le temps
Sur son aiguille de poussière
Y avait une lourde serrure
Qui crochait sa dure morsure
A la porte de chêne épais
Fermant la tour à tout jamais
Sur la chambre ronde, la table
La voûte de chaux, la fenêtre
Aux verres enchâssés de plomb
Et les rats grimpaient dans le lierre
Tout autour de la tour de pierre
Où le soleil ne venait plus

C'était vraiment horriblement romantique.

C'era una lampada di rame

C'era una lampada di rame
Che bruciava da tanti anni
C'era uno specchio incantato
Che rifletteva il volto
Il volto che si avrebbe
Sul letto dorato della morte
C'era un libro di cuoio azzurro
Dove s'incontravano il cielo e la terra
L'acqua, il fuoco, i tredici misteri
Una clessidra scandiva il tempo
Con il suo ago di polvere
C'era una pesante serratura
Che affondava il suo duro morso
Nella porta di solida quercia
Che chiude la torre in eterno
Sulla camera rotonda, la tavola
La volta di calce, la finestra
Dai vetri tappati di piombo
E i topi si arrampicavano sull'edera
Che circondava la torre di pietra
Dove il sole non filtrava più

Era davvero orribilmente romantico.

Quand j'aurai du vent dans mon crâne

Quand j'aurai du vent dans mon crâne
Quand j'aurai du vert sur mes osses
P'tête qu'on croira que je ricane
Mais ça sera une impression fosse
Car il me manquera
Mon élément plastique
Plastique tique tique
Qu'auront bouffé les rats
Ma paire de bidules
Mes mollets mes rotules
Mes cuisses et mon cule
Sur quoi je m'asseyois
Mes cheveux mes fistules
Mes jolis yeux cérules
Mes couvre-mandibules
Dont je vous pourléchois
Mon nez considérable
Mon coeur mon foie mon râble
Tous ces riens admirables
Qui m'ont fait apprécier
Des ducs et des duchesses
Des papes des papesses
Des abbés des ânesses
Et des gens du métier
Et puis je n'aurai plus
Ce phosphore un peu mou
Cerveau qui me servit
A me prévoir sans vie
Les osses tout verts, le crâne venteux
Ah comme j'ai mal de devenir vieux.

Quando avrò del vento nel mio cranio

Quando avrò del vento nel mio cranio
Quando ci sarà l'erba sulle mie ossa
Forse si crederà che io sogghigni
Ma sarà un'impressione sbagliata
Perché mi mancherà
Il mio affare plastico
Plastico tico tico
Che avranno rosicchiato i topi
Il mio paio di coglioni
I miei polpacci le mie rotule
Le mie cosce ed il culo
Sul quale mi siedo
I miei capelli le mie fistole
I miei graziosi occhi cerulei
I miei copri-mandibole
Con cui vi lecco
Il mio naso vistoso
Il mio cuore il mio fegato il mio lombo
Tutti questi niente meravigliosi
Che mi hanno fatto apprezzare
Dai duchi e dalle duchesse
Dai papi e dalle papesse
Dagli abati dalle asine
E dalla gente del mestiere
Inoltre non avrò più
Questo fosforo un po' molle
Il cervello che mi è servito
A prevedermi senza vita,
Le ossa completamente verdi, il cranio pieno di vento
Ah quanto mi spiace diventare vecchio.

Je n'ai plus très envie

Je n'ai plus très envie
D'écrire des pohésies
Si c'était comme avant
J'en fairais plus souvent
Mais je me sens bien vieux
Je me sens bien sérieux
Je me sens consciencieux
Je me sens paressieux.

Non ho più molta voglia

Non ho più molta voglia
Di scrivere poesie
Se fosse come prima
Ne farei più spesso
Ma mi sento molto vecchio
Mi sento molto serio
Mi sento molto coscienzioso
Mi sento pigro.

Si j'étais pohéteû

Si j'étais pohéteû
Je serais ivrogneû
J'aurais un nez rougeû
Une grande boîteû
Où j'empilerais
Plus de cent sonnais
Où j'empilerais
Mon noeuvrû complait.

Se fossi poeta

Se fossi poeta
Sarei sbronzo
Avrei un naso rosso
Una grande scatola
Dove ammucchierei
Più di cento sonetti
Dove metterei insieme
Le mie opere complete.

J'ai acheté du pain dur

J'ai acheté du pain dur
Pour le mettre sur un mur
Par la barbe Farigoule
Il n'est pas venu de poule
J'en étais bien sûr, maman
J'en étais bien sûr.

Ho comprato del pane duro

Ho comprato del pane duro
Per metterlo su un muro
Per la barba del mio rosmarino
Non ne sono venute ragazze
Ne ero ben sicuro, mamma
Ne ero ben sicuro.

Y a du soleil dans la rue

Y a du soleil dans la rue
J'aime le soleil mais j'aime pas la rue
Alors je reste chez moi
En attendant que le monde vienne
Avec ses tours dorées
Et ses cascades blanches
Avec ses voix de larmes
Et les chansons des gens qui sont gais
Ou qui sont payés pour chanter
Et le soir il vient un moment
Où la rue devient autre chose
Et disparaît sous le plumage
De la nuit pleine de peut-être
Et des rêves de ceux qui sont morts
Alors je descends dans la rue
Elle s'étend là-bas jusqu'à l'aube
Une fumée s'étire tout près
Et je marche au milieu de l'eau sèche
De l'eau rêche de la nuit fraîche
Le soleil reviendra bientôt.

C'è il sole nella strada

C'è il sole nella strada
Amo il sole ma non amo la strada
Allora rimango in casa
Ad aspettare che il mondo venga
Con le sue torri dorate
E le sue cascate bianche
Con le sue voci di lacrime
E le canzoni della gente che è allegra
O che è pagata per cantare
E la sera arriva nell'istante
In cui la strada diventa un'altra cosa
E scompare sotto le piume
Della notte piena d'interrogativi
E dei sogni di coloro che sono morti
Allora scendo in strada
Essa si stende laggiù fino all'alba
Una nebbia si spande intorno
Ed io cammino in mezzo all'acqua prosciugata
All'acqua acre della notte fresca
Il sole tornerà fra poco.

Un homme tout nu marchait

Un homme tout nu marchait
L'habit à la main
L'habit à la main
C'est peut-être pas malin
Mais ça me fait rire
L'habit à la main
L'habit à la main
Ah ah ah ah ah ah ah
Un homme tout nu
Un homme tout nu
Qui marchait sur le chemin
Le costume à la main.

Un uomo passeggiava tutto nudo

Un uomo passeggiava tutto nudo
Il vestito in mano
Il vestito in mano
Non sarà forse una cosa geniale
Ma mi fa ridere
Il vestito in mano
Il vestito in mano
Ah ah ah ah ah ah ah
Un uomo tutto nudo
Passeggiava lungo la strada
Il completo in mano.

J'ai mal à ma rapière

J'ai mal à ma rapière
Mais je l'dirai jamais
J'ai mal à mon bèdane
Mais je l'dirai jamais
J'ai mal à mes cardans
J'ai mal à mes graisseurs
J'ai mal à ma badiole
J'ai mal à ma sacoche
Mais je l'dirai jamais, là
Mais je l'dirai jamais.

Ho male alla draghinassa

Ho male alla draghinassa
Ma non lo dirò mai
Ho male alla pancia
Ma non lo dirò mai
Ho male ai cardani
Ho male ai lubrificatori
Ho male al gingillo
Ho male alla borsa
Ma non lo dirò mai, ecco
Ma non lo dirò mai.

Ils cassent le monde

Ils cassent le monde
En petits morceaux
Ils cassent le monde
A coups de marteau
Mais ça m'est égal
Ça m'est bien égal
Il en reste assez pour moi
Il en reste assez
Il suffit que j'aime
Une plume bleue
Un chemin de sable
Un oiseau peureux
Il suffit que j'aime
Un brin d'herbe mince
Une goutte de rosée
Un grillon de bois
Ils peuvent casser le monde
En petits morceaux
Il en reste assez pour moi
Il en reste assez
J'aurai toujours un peu d'air
Un petit filet de vie
Dans l'oeil un peu de lumière
Et le vent dans les orties
Et même, et même
S'ils me mettent en prison
Il en reste assez pour moi
Il en reste assez
Il suffit que j'aime
Cette pierre corrodée
Ces crochets de fer
Où s'attarde un peu de sang
Je l'aime, je l'aime
La planche usée de mon lit
La paillasse et le châlit
La poussière de soleil
J'aime le judas qui s'ouvre
Les hommes qui sont entrés

Distruggono il mondo

Distruggono il mondo
In pezzi
Distruggono il mondo
A colpi di martello
Ma non mi importa
Non mi importa davvero
Ne rimane abbastanza per me
Ne rimane abbastanza
Basta che io ami
Una piuma azzurra
Una pista di sabbia
Un uccello pauroso
Basta che io ami
Un filo d'erba sottile
Una goccia di rugiada
Un grillo di bosco
Possono rompere il mondo
In frantumi
Ne rimane abbastanza per me
Ne rimane abbastanza
Avrò sempre un po' d'aria
Un filetto di vita
Un barlume di luce nell'occhio
E il vento nelle ortiche
E ancora, e ancora
Se mi mettono in prigione
Ne resta abbastanza per me
Ne resta abbastanza
Basta che io ami
Questa pietra corrosa
Questi uncini di ferro
Che trattengono un grumo di sangue
Io l'amo, io l'amo
La tavola consumata del mio letto
Il pagliericcio e lo scaldino
La polvere del sole
Amo lo spioncino che s'apre
Gli uomini che sono entrati

Qui s'avancent, qui m'emmènent
Retrouver la vie du monde
Et retrouver la couleur
J'aime ces deux longs montants
Ce couteau triangulaire
Ces messieurs vêtus de noir
C'est ma fête et je suis fier
Je l'aime, je l'aime
Ce panier rempli de son
Où je vais poser ma tête
Oh, je l'aime pour de bon
Il suffit que j'aime
Un petit brin d'herbe bleue
Une goutte de rosée
Un amour d'oiseau peureux
Ils cassent le monde
Avec leurs marteaux pesants
Il en reste assez pour moi
Il en reste assez, mon coeur.

Che avanzano, che mi portano via
Ritrovare la strada del mondo
E ritrovare il colore
Amo questi due lunghi montanti
Questo coltello a triangolo
Questi signori vestiti di nero
È la mia festa ed io sono orgoglioso
L'amo, l'amo
Questo paniere risonante
Dove poserò la mia testa
Oh, l'amo tanto
Basta che io ami
Un piccolo stelo d'erba azzurra
Una goccia di rugiada
Un amore di uccellino pauroso
Fracassano il mondo
Con i loro martelli pesanti
Ne rimane abbastanza per me
Ne rimane abbastanza, cuore mio.

Un de plus

Un de plus
Un sans raison
Mais puisque les autres
Se posent les questions des autres
Et leur répondent avec les mots des autres
Que faire d'autre
Que d'écrire, comme les autres
Et d'hésiter
De répéter
Et de chercher
De rechercher
De pas trouver
De s'emmerder
Et de se dire ça sert à rien
Il vaudrait mieux gagner sa vie
Mais ma vie, je l'ai, moi, ma vie
J'ai pas besoin de la gagner
C'est pas un problème du tout
La seule chose qui en soit pas un
C'est tout le reste, les problèmes
Mais ils sont tous déjà posés
Ils se sont tous interrogés
Sur tous les plus petits sujets
Alors moi qu'est-ce qui me reste
Ils ont pris tous les mots commodes
Les beaux mots à faire du verbe
Les écumants, les chauds, les gros
Les cieux, les astres, les lanternes
Et ces brutes molles de vagues
Ragent rongent les rochers rouges
C'est plein de ténèbre et de cris
C'est plein de sang et plein de sexe
Plein de ventouses et de rubis
Alors moi qu'est-ce qui me reste
Faut-il me demander sans bruit
Et sans écrire et sans dormir
Faut-il que je cherche pour moi
Sans le dire, même au concierge

Uno di più

Uno di più
Uno senza ragione
Ma poiché gli altri
Si pongono le domande degli altri
E rispondono loro con le parole degli altri
Che altro fare
Che scrivere, come gli altri
Ed esitare
E ripetere
E cercare
E ricercare
E non trovare
E annoiarsi
E dire che non serve a niente
Sarebbe meglio guadagnarsi da vivere
Ma la mia vita, ce l'ho, io, la mia vita
Non ho bisogno di guadagnarla
Non è un problema per niente
La sola cosa che rimane
È tutto il resto, i problemi
Ma essi sono tutti già posti
Essi si sono tutti interrogati
Sui minimi argomenti
Allora a me cosa resta
Essi hanno adoperato tutte le parole comode
Le parole belle per fare il discorso
Quelle spumeggianti, quelle calde, le grosse
I cieli, gli astri, i lampioni
E queste bestione molli delle onde
Arrabbiate scavano le rocce rosse
È pieno di tenebra e di urla
È pieno di sangue e pieno di sesso
Pieno di ventose e di rubini
Allora a me cosa resta
Bisogna domandarmi senza rumore
E senza scrivere e senza dormire
Bisogna che io cerchi per me
Senza dirlo, neppure al portiere

Au nain qui court sous mon plancher
Au papaouteur dans ma poche
Ni au curé de mon tiroir
Faut-il faut-il que je me sonde
Tout seul sans une soeur tourière
Qui vous empoigne la quèquette
Et vous larde comme un gendarme
D'une lance à la vaseline
Faut-il faut-il que je me fourre
Une tige dans les naseaux
Contre une urémie du cerveau
Et que je voie couler mes mots
Ils se sont tous interrogés
Je n'ai plus droit à la parole
Ils ont pris tous les beaux luisants
Ils sont tous installés là-haut
Où c'est la place des poètes
Avec des lyres à pédale
Avec des lyres à vapeur
Avec des lyres à huit socs
Et des Pégase à réacteurs
J'ai pas le plus petit sujet
J'ai plus que les mots les plus plats
Tous les mots cons tous les mollets
J'ai plus que me moi le la les
J'ai plus que du dont qui quoi qu'est-ce
Qu'est, elle et lui, qu'eux nous vous ni
Comment voulez-vous que je fasse
Un poème avec ces mots-là?
Eh ben tant pis j'en ferai pas.

Al nano che corre sul mio pavimento
Al brontolone nella mia tasca
Né al prete del mio cassetto
Bisogna bisogna che io mi scruti
Solo senza una suora guardiana
Che impugni il pisello
E vi molesti come un gendarme
Con una lancia alla vasellina
Bisogna bisogna che mi ficchi
Un tronco nelle narici
Contro una uremia al cervello
E che io veda scorrere le mie parole
Essi si sono tutti interrogati
Io non ho diritto alla parola
Essi hanno preso tutte quelle splendenti
Essi sono installati là in alto
Dove è il posto dei poeti
Con delle lire a pedale
Con delle lire a vapore
Con delle lire a otto vomeri
E dei pegasi a reazione
Non ho il più piccolo soggetto
Non ho che le parole più vili
Tutte le parole meno tutte quelle fiacche
Io non ho più che mi io le la i
Io non ho più che di cui chi che che cosa
C'è, lei e lui, che loro noi voi né
Come volete che io faccia
Un poema con queste parole?
Ebbene tanto peggio non lo farò.

J'aimerais

J'aimerais
J'aimerais
Devenir un grand poète
Et les gens
Me mettraient
Plein de laurier sur la tête
Mais voilà
Je n'ai pas
Assez de goût pour les livres
Et je songe trop à vivre
Et je pense trop aux gens
Pour être toujours content
De n'écrire que du vent.

Mi piacerebbe

Mi piacerebbe
Mi piacerebbe
Diventare un grande poeta
E la gente
Mi metterebbe
Serti di lauro sulla testa
Ma ecco
Non ho
Abbastanza passione per i libri
E penso troppo a vivere
E penso troppo alla gente
Per essere sempre contento
Di non scrivere che vento.

Donnez le si

Donnez le si
Il pousse un if
Faites le tri
Il naît un arbre
Jouez au bridge, et le pont s'ouvre
Engloutissant les canons les soldats
Au fond, au fond affectionné
De la rivière rouge
Ah, oui les Anglais sont bien dangereux.

Date il se

Date il se
Nasce un «if»
Fate il «tri»
Nasce un albero
Giocate a bridge, ed il ponte si apre
Inghiottendo i cannoni i soldati
In fondo, in fondo affezionato
Alla riva rossa
Ah, sì gli Inglesi sono molto pericolosi.

Un poète

Un poète
C'est un être unique
A des tas d'exemplaires
Qui ne pense qu'en vers
Et n'écrit qu'en musique
Sur des sujets divers
Des rouges ou des verts
Mais toujours magnifiques.

Un poeta

Un poeta
È un essere unico
In tanti esemplari
Che pensa solamente in versi
E non scrive che in musica
Su soggetti diversi
Sia rossi che verdi
Ma sempre magnifici.

Si les poètes étaient moins bêtes

Si les poètes étaient moins bêtes
Et s'ils étaient moins paresseux
Ils rendraient tout le monde heureux
Pour pouvoir s'occuper en paix
De leurs souffrances littéraires
Ils construiraient des maisons jaunes
Avec des grands jardins devant
Et des arbres pleins de zoizeaux
De mirliflûtes et de lizeaux
Des mésongres et des feuvertes
Des plumuches, des picassiettes
Et des petits corbeaux tout rouges
Qui diraient la bonne aventure
Il y aurait de grands jets d'eau
Avec des lumières dedans
Il y aurait deux cents poissons
Depuis le croûsque au ramusson
De la libelle au pépamule
De l'orphie au rara curule
Et de l'avoile au canisson
Il y aurait de l'air tout neuf
Parfumé de l'odeur des feuilles
On mangerait quand on voudrait
Et l'on travaillerait sans hâte
À construire des escaliers
De formes encor jamais vues
Avec des bois veinés de mauve
Lisses comme elle sous les doigts
Mais les poètes sont très bêtes
Ils écrivent pour commencer
Au lieu de s'mettre à travailler
Et ça leur donne des remords
Qu'ils conservent jusqu'à la mort
Ravis d'avoir tellement souffert
On leur donne des grands discours
Et on les oublie en un jour
Mais s'ils étaient moins paresseux
On ne les oublierait qu'en deux.

Se i poeti fossero meno stupidi

Se i poeti fossero meno stupidi
Se fossero meno pigri
Renderebbero tutti felici
Per poter occuparsi in pace
Delle loro sofferenze letterarie
Costruirebbero delle case gialle
Con grandi giardini davanti
E alberi pieni di uccelli
Di zufoletti e di grandi gigli
Di cinciatristi e di capinere-allegre
Di pennacchi, di sbafatori
E di piccoli corvi rossi
Che direbbero la buona ventura
Ci sarebbero dei grandi stagni
Con luci all'interno
Ci sarebbero duecento pesci
Dai crostacei al topo d'acqua
Dalla piccola moneta al «pépamule»
Dall'aguglia al passero-scranno
Dalla navicella all'asinello
Ci sarebbe aria nuova
Profumata dall'odore delle foglie
Si mangerebbe secondo l'estro
E si lavorerebbe senza fretta
A costruire scale
Di forme non ancora viste
Con legni venati di malva
Lisci come lei sotto le dita
Ma i poeti sono molto stupidi
Essi scrivono per cominciare
Invece di mettersi a lavorare
E ciò dà loro dei rimorsi
Che essi conservano fino alla morte
Felici di aver così sofferto
Si compensano con delle orazioni
E li si dimentica in un giorno
Ma se fossero meno pigri
Verrebbero dimenticati in due.

Elle serait là, si lourde

Elle serait là, si lourde
Avec son ventre de fer
Et ses volants de laiton
Ses tubes d'eau et de fièvre
Elle courrait sur ses rails
Comme la mort à la guerre
Comme l'ombre dans les yeux
Il y a tant de travail
Tant et tant de coups de lime
Tant de peine et de douleurs
Tant de colère et d'ardeur
Et il y a tant d'années
Tant de visions entassées
De volonté ramassée
De blessures et d'orgueils
Métal arraché au sol
Martyrisé par la flamme
Pilé, tourmenté, crevé
Tordu en forme de rêve
Il y a la sueur des âges
Enfermée dans cette cage
Dix et cent mille ans d'attente
Et de gaucherie vaincue
S'il restait
Un oiseau
Et une locomotive
Et moi seul dans le désert
Avec l'oiseau et le chose
Et si l'on disait choisis
Que ferais-je, que ferais-je
Il aurait un bec menu
Comme il sied aux conirostres
Deux boutons brillants aux yeux
Un petit ventre dodu
Je le tiendrais dans ma main
Et son coeur battrait si vite...
Tout autour, la fin du monde
En deux cent douze épisodes

Lei sarebbe là, così pesante

Lei sarebbe là, così pesante
Con il suo ventre di ferro
E le sue balze di latta
I suoi tubi di acqua e di febbre
Lei correva sui suoi binari
Come la morte alla guerra
Come l'ombra negli occhi
C'è tanto lavoro
Tanti e tanti colpi di lima
Tanta pena e tanto dolore
Tanta collera e tanto ardore
E ci sono tanti anni
Tante visioni sovrapposte
Di volontà accumulata
Di ferite e di orgogli
Metallo strappato al suolo
Martirizzato dalla fiamma
Piegato, tormentato, crepato
Ritorto a forma di sogno
C'è il sudore delle generazioni
Chiuso in questa gabbia
Dieci e centomila anni di attesa
E di stupidaggine vinta
Se restasse
Un uccello
E una locomotiva
Ed io solo nel deserto
Con l'uccello e l'affare
E se dicessero scegli
Che farei, che farei
Avrebbe un becco sottile
Come si addice ai passerotti
Due bottoni brillanti agli occhi
Un piccolo ventre rotondo
Lo terrei nella mia mano
Ed il suo cuore batterebbe veloce
Tutt'intorno, la fine del mondo
In duecentododici episodi

Il aurait des plumes grises
Un peu de rouille au bréchet
Et ses fines pattes sèches
Aiguilles gainées de peau
Allons, que garderez-vous
Car il faut que tout périsse
Mais pour vos loyaux services
On vous laisse conserver
Un unique échantillon
Comotive ou zoizillon
Tout reprendre à son début
Tous ces lourds secrets perdus
Toute science abattue
Si je laisse la machine
Mais ses plumes sont si fines
Et son coeur battrait si vite
Que je garderais l'oiseau.

Avrebbe piume grige
Un po' di ruggine sullo sterno
E le sue fini zampette secche
Spilli inguainati di pelle
Andiamo, che cosa salvereste
Poiché bisogna che tutto muoia
Ma per i vostri leali servizi
Vi si lascia conservare
Un unico campione
Locomotiva o uccello
Riprendere il tutto dall'inizio
Tutti questi pesanti segreti perduti
Tutta la scienza demolita
Se io lascio la macchina
Ma le sue piume sono così fini
Ed il suo cuore batterebbe così veloce
Che io mi terrei l'uccello.

Y en a qui ont des trompinettes

Y en a qui ont des trompinettes
Et des bugles
Et des serpents
Y en a qui ont des clarinettes
Et des ophicléides géants
Y en a qu'ont des gros tambours
Bourre Bourre Bourre
Et ran plan plan
Mais moi j'ai qu'un mirliton
Et je mirlitonne
Du soir au matin
Moi je n'ai qu'un mirliton
Mais ça m'est égal si j'en joue bien.

Oui mais voilà, est-ce que j'en joue bien?

C'è chi ha delle trombettine

C'è chi ha delle trombettine
E delle trombe
E dei serpentoni
C'è chi ha dei clarinetti
E degli oficleidi giganti
C'è chi ha dei grossi tamburi
Batti, batti, batti
Rataplan, rataplan, rataplan,
Ma io non ho che uno zufolo di canna
E zufolo dalla sera alla mattina
Io non ho che uno zufolo di canna
Ma non m'importa se lo suono bene.

Perbacco, forse lo suono bene?

Je veux une vie en forme d'arête

Je veux une vie en forme d'arête
Sur une assiette bleue
Je veux une vie en forme de chose
Au fond d'un machin tout seul
Je veux une vie en forme de sable dans des mains
En forme de pain vert ou de cruche
En forme de savate molle
En forme de faridondaine
De ramoneur ou de lilas
De terre pleine de cailloux
De coiffeur sauvage ou d'édredon fou
Je veux une vie en forme de toi
Et je l'ai, mais ça ne me suffit pas encore
Je ne suis jamais content.

Voglio una vita a forma di spina

Voglio una vita a forma di spina
Su un piatto azzurro
Voglio una vita a forma di cosa
Sul fondo di un coso solitario
Voglio una vita a forma di sabbia fra le mani
A forma di pane verde o di brocca
A forma di molle ciabatta
A forma di « dirindindina »
Di spazzacamino o di lillà
Di terra piena di sassi
Di barbiere selvaggio o di piumino folle
Voglio una vita a forma di te
Ed io l'ho, ma non mi basta ancora
Non sono mai contento.

Un jour

Un jour
Il y aura autre chose que le jour
Une chose plus franche, que l'on appellera le Jodel
Une encore, translucide comme l'arcanson
Que l'on s'enchâssera dans l'oeil d'un geste élégant
Il y aura l'auraille, plus cruel
Le volutin, plus dégagé
Le comble, moins sempiternel
Le baouf, toujours enneigé
Il y aura le chalamondre
L'ivrunini, le baroïque
Et toute un planté d'analognes
Les heures seront différentes
Pas pareilles, sans résultat
Inutile de fixer maintenant
Le détail précis de tout ça
Une certitude subsiste: un jour
Il y aura autre chose que le jour.

Un giorno

Un giorno
Ci sarà una cosa diversa dal giorno
Una cosa più franca, che si chiamerà lo «Jodel»
Una ancora, traslucida, come la pece greca
Che ci si incastrerà nell'occhio con mossa elegante
Ci sarà l'aura-orecchio, più crudele
Il mollusco, più libero
Il soffitto meno eterno
Il *baouf* sempre innevato
Ci sarà la quercia-galera
Ci sarà il fuoco-bambino, il baroico
E tutta una piantagione di cose simili
Le ore saranno differenti
Non le stesse, senza risultato
È inutile fissare adesso
I dettagli precisi di tutto ciò
Una certezza sussiste: un giorno
Ci sarà un'altra cosa che il giorno.

Tout a été dit cent fois

Tout a été dit cent fois
Et beaucoup mieux que par moi
Aussi quand j'écris des vers
C'est que ça m'amuse
C'est que ça m'amuse
C'est que ça m'amuse et je vous chie au nez.

Tutto è stato detto cento volte

Tutto è stato detto cento volte
E molto meglio che da me
Sicché quando scrivo versi
È che ciò mi diverte
È che ciò mi diverte
È che ciò mi diverte e vi «cago» sul naso.

Je mourrai d'un cancer de la colonne vertébrale

Je mourrai d'un cancer de la colonne vertébrale
Ça sera par un soir horrible
Clair, chaud, parfumé, sensuel
Je mourrai d'un pourrissement
De certaines cellules peu connues
Je mourrai d'une jambe arrachée
Par un rat géant jailli d'un trou géant
Je mourrai de cent coupures
Le ciel sera tombé sur moi
Ça se brise comme une vitre lourde
Je mourrai d'un éclat de voix
Crevant mes oreilles
Je mourrai de blessures sourdes
Infligées à deux heures du matin
Par des tueurs indécis et chauves
Je mourrai sans m'apercevoir
Que je meurs, je mourrai
Enseveli sous les ruines séches
De mille mètres de coton écroulé
Je mourrai noyé dans l'huile de vidange
Foulé aux pieds par des bêtes indifférentes
Et, juste après, par des bêtes différentes
Je mourrai nu, ou vêtu de toile rouge
Ou coursu dans un sac avec des lames de rasoir
Je mourrai peut-être sans m'en faire
Du vernis à ongles aux doigts de pied
Et des larmes plein les mains
Et des larmes plein les mains
Je mourrai quand on décollera
Mes paupières sous un soleil enragé
Quand on me dira lentement
Des méchancetés à l'oreille
Je mourrai de voir torturer des enfants
Et des hommes étonnés et blêmes
Je mourrai rongé vivant
Par des vers, je mourrai les
Mains attachées sous une cascade
Je mourrai brûlé dans un incendie triste

Morirò di cancro alla colonna vertebrale

Morirò di cancro alla colonna vertebrale
Accadrà una sera orribile
Chiara, calda, profumata, sensuale,
Morirò della putrefazione
Di certe cellule poco conosciute
Morirò per una gamba amputata
Da un topo gigante sbucato da una fogna gigante
Morirò di cento tagli
Il cielo mi sarà caduto addosso
Fracassandosi come una vetrata pesante
Morirò d'un fragore di voci
Che farà scoppiare le mie orecchie
Morirò di ferite segrete
Inflitte alle due del mattino
Da assassini vaghi e calvi
Morirò senza accorgermi
Di morire, morirò
Sepolto sotto le rovine secche
Di mille metri di cotone sprofondato
Morirò annegato nell'olio di spurgo
Calpestato da bestie indifferenti
E, subito dopo, da bestie differenti
Morirò nudo, o vestito di tela rossa
O cucito in un sacco con delle lame di rasoio
Morirò forse senza preoccuparmi
Di verniciare le unghie delle dita dei piedi
E di lacrime piene le mani
E di lacrime piene le mani
Morirò quando scolleranno
Le mie palpebre sotto il sole arrabbiato
Quando mi diranno lentamente
Delle cattiverie all'orecchio
Morirò nel vedere torturare bambini
E uomini sbigottiti e lividi
Morirò mangiato vivo
Dai vermi, morirò
Con le mani attaccate sotto una cascata
Morirò bruciato in un incendio triste

Je mourrai un peu, beaucoup,
Sans passion, mais avec intérêt
Et puis quand tout sera fini
Je mourrai.

Morirò un poco, molto,
Senza passione, ma con interesse
E poi quando tutto sarà finito
Morirò.

Indice

Tascabili Economici Newton, sezione dei Paperbacks
Pubblicazione settimanale, 25 settembre 1993
Direttore responsabile: G.A. Cibotto
Registrazione del Tribunale di Roma n. 16024 del 27 agosto 1975
Fotocomposizione: Centro Fotocomposizione di Calagreti L. e C. s.n.c., Città di Castello (PG)
Stampato per conto della Newton Compton editori s.r.l., Roma
presso la Rotolito Lombarda S.p.A., Pioltello (MI)
Distribuzione nazionale per le edicole: A. Pieroni s.r.l.
Viale Vittorio Veneto 28 - 20124 Milano - telefono 02-29000221
telex 332379 PIERON I - telefax 02-6597865
Consulenza diffusionale: Eagle Press s.r.l., Roma

Tascabili Economici Newton

100 pagine 1000 lire

Tascabili Economici Newton

I classici Superten

I Mammut

Caro lettore,

        ritagli e invii in busta chiusa, dopo aver risposto alle nostre domande, la scheda allegata.

Riceverà in omaggio periodicamente il nostro catalogo.

Dove ha acquistato il libro?

☐ libreria   ☐ edicola   ☐ ipermercato   ☐ regalo

Ritiene di aver acquistato, indipendentemente dall'opera, un prodotto editoriale:

☐ scadente   ☐ mediocre   ☐ buono   ☐ ottimo

Barri con una X le aree di lettura che predilige:

☐ narrativa   ☐ filosofia   ☐ antropologia   ☐ storia
☐ psicologia   ☐ poesie   ☐ letteratura   ☐ saggistica
☐ politica   ☐ fiabe   ☐ teatro   ☐ cucina
☐ architettura   ☐ arte   ☐ magia   ☐ musica

nome .... cognome ....

età .... professione ....

Via .... cap .... Città ....

Spedire a: Newton Compton editori
          Via della Conciliazione, 15
          00193 ROMA
          Tel. 06/68803250 .